W9-DCV-523

UN TRABAJO PARA LAS
MÁQUINAS DE RESCATE

CHRIS OXLADE

QEB

Directora editorial: Victoria Garrard
Directora de arte: Malena Stojic
Editora: Harriet Stone
Diseñador: Dave Ball

Copyright © QEB Publishing, Inc. 2017

Publicado en los Estados Unidos por QEB Publishing, Inc
6 Orchard, Lake Forest, CA 92630

Todos los derechos reservados. No se permite la reproducción total o parcial de este libro, ni su transmisión en cualquier forma o por cualquier medio, sea electrónico, mecánico, por fotocopia, grabación, etc., sin permiso previo de la editorial; ni puede circular con otro tipo de encuadernación ni portada.

Información disponible sobre el registro CIP de la Biblioteca del Congreso.

ISBN 978 1 68297 227 4

Impreso en China

Agradecimientos
El editor quiere agradecer a las siguientes agencias por su amable permiso para usar sus imágenes.

Clave: f = fondo, a = arriba, d = debajo, i = izquierda, d = derecha, c = centro.

Alamy Stock Photo: cp: Cultura Creative (RF); 2-3 © Paul Springett A; 5ai Cultura Creative (RF); 5d South West Images Scotland; 8-9f Dembinsky Photo Associates; 9d ARMIN WEIGEL; 10a ABN IMAGES; 10d Olekcii Mach; 11c FORGET Patrick; 11d Andrew Harker; 12-13f James Davies; 13dd Robert McLean; 14-15f Elizabeth Nunn; 15d FirePhoto; 17ad Stocktrek Images, Inc.; 17d Kevin Griffin; 18-19f jason kay; 22-23f Cameron Cormack; 24-25f John Devlin; 25ai Mike Hesp; 28i Ashley Cooper; 28d CTK; 30-31f Michael Routh; 34a Nick Fontana; 35ad REUTERS; 38-39f mark unsworth; 39a David Osborn; 40d Chris Slack; 42-43f dpa picture alliance archive; 43ai Marco McGinty; 43ad Cultura Creative (RF); 44-45f EuroStyle Graphics; 46-47f Agencja Fotograficzna Caro; 46d CPC Collection

Dreamstime: 6f © Artzzz; 16a © Martingraf; 16d © Rico Leffanta; 19ai © Cvandyke; 19ad © Arenaphotouk; 19d © Mrdoomits; 33ad © Arenaphotouk

istockPhoto: 31cd ArrowImages

Shutterstock: p: gary yim, meunierd; cp: JASPERIMAGE, Christian Mueller, Tommy Alven; 1 Jaromir Chalabala; 4-5f Ververidis Vasilis; 4ai Isaiah Shook; 4d VanderWolf Images; 5di OgnjenO; 7ad Matthew Strauss; 7ci Andrew Harker; 7cd TFoxFoto; 7di Mark Agnor; 7dd Philip Bird LRPS CPAGB; 10-11f Keith Muratori; 11a Tupungato; 13ai EML; 13ad deepspace; 13c george green; 13di charl898; 16-17f Phil MacD Photography; 17c FotograFFF; 19ci Steve Photography; 19cd MAC1; 20-21f mikeledray; 21d blurAZ; 22a chippics; 22d Anton_Ivanov; 22d Art Konovalov; 23a 1000 Words; 23cd kay roxby; 23d TimBurgess; 25ad asharkyu; 25ci Brad Sauter; 25cd Belish; 25d wiktord; 26-27f Lukasz Janyst; 26d Matt Ragen; 28-29f efreet; 29a aragami12345s; 29cd msnobody; 29di VanderWolf Images; 31ad Mark Agnor; 31ci supergenijalac; 31di Kate_ryna; 31dd John Huntington; 32-33f supergenijalac; 34d Art Konovalov; 35c Gary Blakeley; 35dd Gustavo Miguel Fernandes; 36-37f charl898; 37a Leonard Zhukovsky; 37ci lidian Neeleman; 37cd ID1974; 37di Newnow; 37dd Ivan Cholakov; 40a Howard Pimborough; 41a avarand; 41c ID1974; 41d Cindy Haggerty; 43c Thanakrit Sathavornmanee; 43di ANURAKE SINGTO-ON; 43dd Africa Studio; 45a VanderWolf Images; 46a Pyty; 47ad Bychykhin Olexandr; 47c badahos; 47d ANURAKE SINGTO-ON

CONTENIDO

MÁQUINAS DE RESCATE

¡Bienvenido al mundo de las Máquinas de Rescate! Todas las máquinas que verás en este libro se usan en situaciones de emergencia. Se utilizan en el campo y las ciudades, en el bosque, los ríos y los lagos, en el aeropuerto y en el mar. Estas máquinas ayudan a encontrar personas perdidas, rescatar víctimas y apagar incendios.

¿Para qué crees que se usa esta máquina tan alta?

Muchas máquinas de rescate tienen que desplazarse por terrenos fangosos, irregulares o cubiertos de nieve.

Para todas las misiones de rescate hacen falta máquinas especiales. Cuando leas este libro, intenta averiguar qué máquinas habría que utilizar para hacer el trabajo.

¿Dónde crees que se usa esta máquina de rescate?

¿Dónde estarías si te rescatara esta máquina?

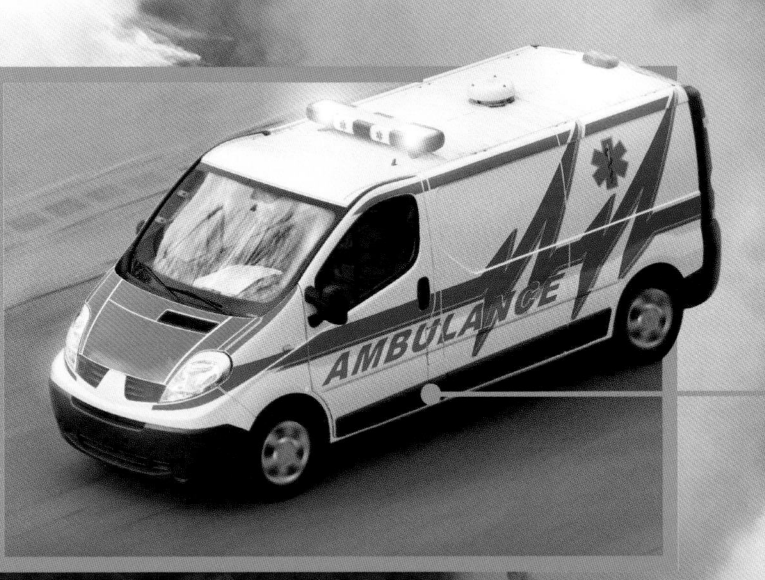

Las ambulancias llevan rápidamente a las víctimas al hospital, por tierra y por aire.

INCENDIOS EN EDIFICIOS

Cuando se incendia un edificio en una ciudad, los bomberos acuden inmediatamente a la escena con sus máquinas antiincendios. Las máquinas, además de transportar a los bomberos, tienen tanques de agua y el equipo necesario para apagar el incendio.

¿Qué máquinas usarías?

Camión cisterna

Plataforma hidráulica

Avión cisterna

Dron

Bote salvavidas

CAMIÓN DE BOMBEROS

El nombre correcto de este camión de bomberos es de "escala giratoria". Tiene una escala o escalera que se extiende hacia arriba por la que suben los bomberos. Desde la escalera lanzan agua a los edificios en llamas y pueden rescatar a las personas que están atrapadas en las ventanas y los tejados.

La plataforma giratoria permite mover la escalera de lado a lado.

El conductor y los demás bomberos van en la cabina.

Los estabilizadores son unas patas que evitan que el camión vuelque al extender la escalera.

Las secciones de la escalera se deslizan hacia afuera para hacerla más larga.

En la parte superior de la escalera hay una plataforma para los bomberos y una boquilla por donde sale el agua.

La bomba hace que el agua salga por las mangueras para apagar las llamas.

ESCALA GIRATORIA EN NÚMEROS:

LONGITUD: 15 metros

LONGITUD DE ESCALERA: 50 metros

VELOCIDAD MÁXIMA: 100 km por hora

MÁQUINAS PARA INCENDIOS URBANOS

Todas estas máquinas se usan para apagar incendios en las ciudades.

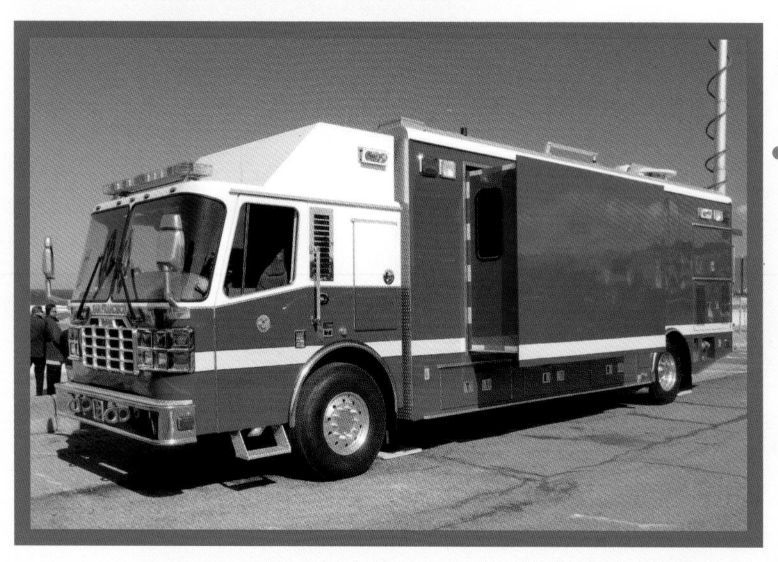

1 UNIDAD DE COMANDO MÓVIL

La unidad de comando móvil es una base móvil donde los jefes de bomberos planean cómo combatir un incendio. La unidad tiene cámaras de video y equipos de comunicación.

2 DRON

Los bomberos envían un dron para ver el incendio desde arriba. El video del dron les muestra dónde están las llamas.

CAMIÓN CISTERNA

Los bomberos conectan unas mangueras largas a la cisterna o una boca de incendios. La bomba hace que el agua salga de la boca o de la cisterna a las mangueras.

ESCALA GIRATORIA

El camión de escala giratoria se usa para rociar agua a las ventanas o rescatar a personas atrapadas en edificios altos.

PLATAFORMA HIDRÁULICA

La plataforma hidráulica tiene un brazo articulado con una plataforma en un extremo. El brazo se extiende sobre los tejados para que los bomberos rocíen agua y apaguen las llamas.

RESCATE EN EL AGUA

Los lagos, los ríos y las costas pueden ser lugares peligrosos. A veces, las personas pueden tener accidentes cuando nadan, van en bote o se caen al agua. Las inundaciones también son peligrosas. Los equipos de rescate usan botes y máquinas especiales para salvar a la gente en el agua.

¿Cuáles de estas máquinas se usarían en un rescate en el agua?

Bote inflable

Barco de bomberos

Camión de bomberos de aeropuerto

Buque salvavidas

Vehículo anfibio con orugas

AERODESLIZADOR DE RESCATE

El aerodeslizador o hovercraft es un vehículo mitad barco, mitad avión. Se desliza por la tierra y por el agua sobre un cojín de aire. Es muy útil para los rescates en zonas fangosas de ríos, aguas poco profundas ¡y en las arenas movedizas!

Los timones mueven los ventiladores de lado a lado para que el aerodeslizador gire a la derecha o a la izquierda.

El motor acciona los ventiladores que llenan el faldón de aire y los ventiladores que mueven el aerodeslizador hacia delante.

El ventilador principal mete aire en una cámara que hay debajo del aerodeslizador para llenar un cojín de aire.

AERODESLIZADOR DE RESCATE EN NÚMEROS:

LONGITUD: 8 metros

VELOCIDAD MÁXIMA: 55 km por hora

PESO: 4 toneladas

TRIPULACIÓN: de 2 a 4

MÁQUINAS DE RESCATE EN EL AGUA

Todas estas máquinas se usan para rescatar a personas en el agua.

1 BOTE INFLABLE

Los botes inflables son resistentes y perfectos para rescatar a la gente en el agua. Se pueden transportar por tierra en un remolque y meter rápidamente en el agua. Se mueven con un motor de hélice llamado motor fuera borda.

2 MOTO ACUÁTICA

Los socorristas de la playa suelen tener motos acuáticas preparadas por si alguien se encuentra en apuros en el mar, cerca de la costa. La moto de agua avanza rápidamente entre las olas para asistir a la víctima.

3 VEHÍCULO ANFIBIO

Esta máquina se desplaza por tierra y por agua. Se utiliza para rescatar a personas atrapadas en lugares donde los botes no pueden acceder fácilmente, como aguas poco profundas, zonas lodosas o aguas con bloques de hielo en la superficie.

AERODESLIZADOR DE RESCATE

Esta máquina también se usa para rescatar a personas en aguas poco profundas, en el lodo o en el hielo. Se desliza por encima de la tierra y el agua con un cojín de aire.

BARCO DE BOMBEROS

Si hay un incendio en la orilla de un río o en un barco, el barco de bomberos acude al rescate. Es como un camión de bomberos flotante.

ACCIDENTES DE TRÁFICO

Los accidentes de tráfico ocurren cuando un vehículo se sale de la carretera o choca con otro. Pueden suceder cuando hay agua o hielo en la carretera o cuando los conductores cometen errores. Los vehículos de emergencia acuden al rescate y ayudan a despejar la carretera.

¿Qué máquinas usarías?

Motocicleta de policía

Avión cisterna

Vehículo todo terreno

Ambulancia aérea

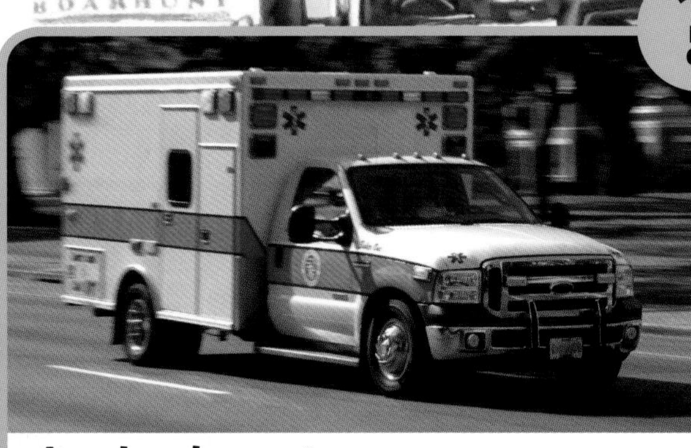
Ambulancia

AMBULANCIA

Una ambulancia es un vehículo para emergencias médicas. A bordo van los expertos paramédicos y todo el equipo necesario para tratar a los heridos. Las personas heridas se suben a la ambulancia con unas camillas para llevarlas al hospital.

El equipo médico se almacena en las paredes y los gabinetes de la ambulancia. Hay tanques de oxígeno y un defibrilador para reiniciar el corazón del paciente.

AMBULANCIA EN NÚMEROS:

LONGITUD: 6 metros

VELOCIDAD MÁXIMA: 154 km por hora

CAPACIDAD DEL MOTOR: 3 litros

TRIPULACIÓN: 2 paramédicos

Dentro de la ambulancia hay asientos para los paramédicos y las personas con heridas leves.
Las luces intermitentes y las sirenas avisan a los otros vehículos para que se aparten.
Los paramédicos van en la cabina. Tienen una radio para comunicarse con la base y un sistema de navegación por satélite que les indica cómo llegar al lugar del accidente.
La camilla tiene ruedas. Dentro de la ambulancia se convierte en una cama.
HUNTINGTON BEACH
POLICE

MÁQUINAS DE RESCATE EN LA CARRETERA

Todas estas máquinas se usan para asistir en los accidentes de tráfico.

1 MOTOCICLETA DE POLICÍA

Las motos de policía son grandes, potentes y rápidas. Suelen ser las primeras en llegar al lugar del accidente. El policía informa de lo que ha pasado y avisa a otros servicios de emergencias para que vayan a ayudar.

2 AUTO DE POLICÍA

El auto de policía es el siguiente que llega a la escena. Las luces y las sirenas avisan a los otros vehículos de que hay un accidente. En el auto hay un equipo de primeros auxilios y conos para bloquear el tráfico.

3 GRÚA DE RESCATE

A veces, los vehículos accidentados no se pueden manejar. La grúa de rescate los carga y los lleva al taller

AMBULANCIA

Si en un accidente hay alguien herido, la policía llama a una ambulancia. Cuando llega la ambulancia, los paramédicos examinan a los heridos y si es necesario, los llevan al hospital.

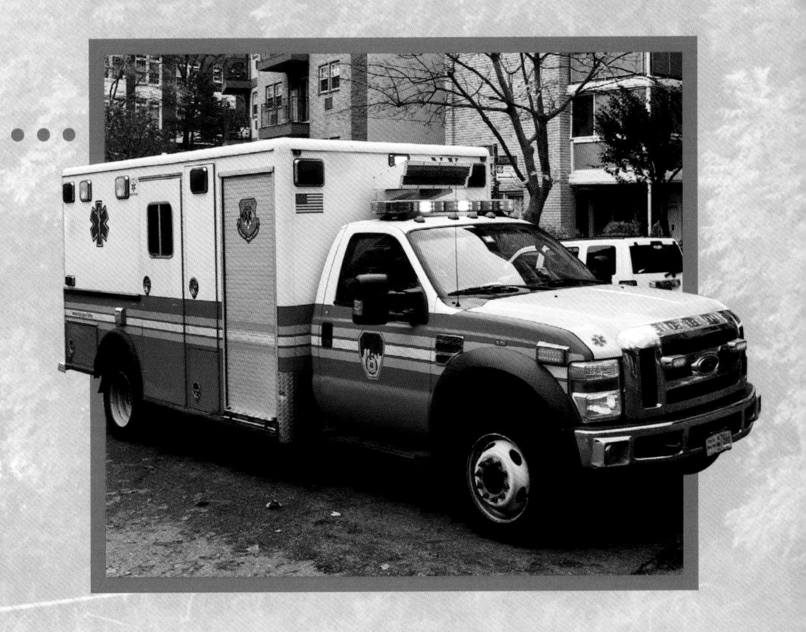

5 CAMIÓN DE BOMBEROS

El camión de bomberos acude a un accidente si hay alguien atrapado dentro de un vehículo. En el camión hay máquinas especiales para arrancar las puertas de los autos o cortar el techo.

6 AMBULANCIA AÉREA

Si hay que llevar a los heridos urgentemente al hospital, se utiliza un helicóptero especial llamado ambulancia aérea. Tiene el mismo equipo que una ambulancia normal y llega al hospital en pocos minutos.

RESCATE EN LAS MONTAÑAS

Los escaladores, los excursionistas y los turistas pueden sufrir accidentes o perderse en las montañas. El equipo de rescate necesita máquinas capaces de ir por la nieve y por terrenos irregulares. También usan helicópteros para buscar desde el aire.

¿Cuáles de estas máquinas se usarían en un rescate de montaña?

Camión 4x4

Topadora

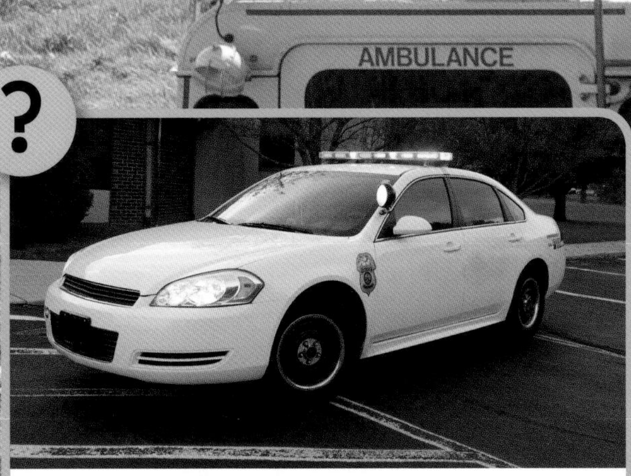
Auto de policía

Moto de nieve

Helicóptero de rescate

HELICÓPTERO DE RESCATE

El equipo de rescate usa este helicóptero para ver lo que está pasando en tierra y buscar a las víctimas. El helicóptero puede aterrizar en un espacio pequeño y recoger a los heridos o volar por encima mientras los miembros de la tripulación bajan a ayudarlos.

El rotor principal hace que el helicóptero se eleve. Está formado por un eje central y unas palas largas.

Los pilotos se sientan en la cabina donde hay una radio, un equipo de navegación y una cámara de imagen térmica para detectar a las víctimas en la oscuridad.

HELICÓPTERO DE RESCATE EN NÚMEROS:

LONGITUD: 14.2 metros

TAMAÑO DEL ROTOR: 15.7 metros

MOTORES: 2 motores turboeje

VELOCIDAD MÁXIMA: 260 km por hora

El cabrestante tiene un cable resistente por el que bajan a tierra los miembros de la tripulación y suben a las víctimas a bordo.

El rotor de la cola ayuda al helicóptero a girar a la izquierda y a la derecha.
En la cabina hay un equipo de primeros auxilios y camillas para asistir a los heridos.
El cabrestante se opera con un motor eléctrico. Un miembro de la tripulación baja y sube por el cable con un arnés.

MÁQUINAS DE RESCATE EN LAS MONTAÑAS

Todas estas máquinas se usan para rescatar a las personas en las montañas.

1 CAMIÓN DE RESCATE TODO TERRENO

Los rescatadores intentan llegar a la zona con sus camiones todo terreno. Llevan el equipo de rescate en el interior y en el techo del camión. Si es necesario, pueden subir a los heridos al camión y llevarlos a un lugar seguro.

2 CUATRIMOTO

Una cuatrimoto es una moto con cuatro ruedas. Esta cuatrimoto tiene orugas en lugar de ruedas para ir por la nieve. Puede arrastrar un remolque con una camilla.

3 HELICÓPTERO DE RESCATE

El equipo de rescate a veces llama a un helicóptero para que ayude a buscar a personas desaparecidas o recoja a los heridos o enfermos y los lleve al hospital.

4 MOTO DE NIEVE

Las motos de nieve tienen esquís en la parte de delante y orugas en la parte de atrás. Se usan para buscar y rescatar gente en lugares cubiertos de nieve.

5 VEHÍCULO DE RESCATE DE ESQUÍ

Este vehículo se suele utilizar para alisar la nieve en las pistas de esquí, pero también se usa para rescatar esquiadores heridos. Sus anchas orugas le permiten subir por terrenos muy empinados.

INCENDIOS FORESTALES

Los incendios forestales ocurren cuando se prenden los árboles, los arbustos o las ramas del bosque. Los rayos de las tormentas y los descuidos de los turistas y personas que acampan en el bosque pueden provocar incendios. Para apagarlos hacen falta máquinas especiales ya que hay pocas carreteras y el terreno suele ser empinado.

¿Cuáles de estas máquinas usarías en un incendio forestal?

Camión de bomberos todo terreno

Avión cisterna

Excavadora

Escala giratoria

Barco de bomberos

AVIÓN CISTERNA

La manera más fácil de combatir un incendio forestal es lanzando agua desde el cielo. Eso es lo que hace el avión cisterna, una aeronave con un tanque grande de agua. El avión recoge agua de un río o un lago y la lanza sobre las llamas. Este avión cisterna se llama Bombardier CL-415.

El tanque de agua está dentro del fuselaje del avión. Una trampilla se abre para dejar salir el agua.

AVIÓN CISTERNA EN NÚMEROS:

LONGITUD: 19.8 metros

ENVERGADURA: 28.6 metros

VELOCIDAD MÁXIMA: 360 km por hora

CAPACIDAD DE AGUA: 6.1 toneladas

Este avión cisterna vuela a ras del mar para recoger agua.
Dos pilotos manejan el avión cisterna desde la cabina. Es muy difícil pilotar este tipo de aviones.
Este avión cisterna tiene dos turbopropulsores.
Las ruedas del tren de aterrizaje bajan para que el avión cisterna pueda aterrizar en la pista.
El casco tiene forma de barco para poder aterrizar y despegar en el agua.

MÁQUINAS DE RESCATE EN INCENDIOS FORESTALES

Todas estas máquinas ayudan a apagar los incendios forestales.

1 CAMIÓN DE BOMBEROS 4X4

Cuando alguien informa que hay un incendio forestal, un camión pequeño de bomberos 4x4 va a investigar. Este camión lleva un equipo para apagar incendios pequeños.

2 CAMIÓN DE BOMBEROS TODO TERRENO

Si el incendio se ha extendido, se envía un camión de bomberos más grande. Las ruedas de este camión son grandes para ir por el terreno irregular. Este camión está equipado con un tanque de agua, bombas y mangueras.

3 TOPADORA

Los bomberos usan topadoras para despejar zonas del bosque llamadas cortafuegos. Se llaman así porque impiden que el incendio se extienda. La topadora derriba los árboles y despeja la vegetación.

4 AVIÓN CISTERNA

Si los camiones de bomberos no pueden llegar al incendio o se ha extendido demasiado, los bomberos envían un avión cisterna. Este avión lanza agua sobre las llamas. Los aviones también ayudan a ver cómo se está extendiendo el fuego.

5 HELICÓPTERO DE BOMBEROS

El helicóptero de bomberos hace el mismo trabajo que un avión cisterna, pero lleva menos agua. El helicóptero recoge agua con un cubo de tela que cuelga de un cable. Los bomberos van en el helicóptero.

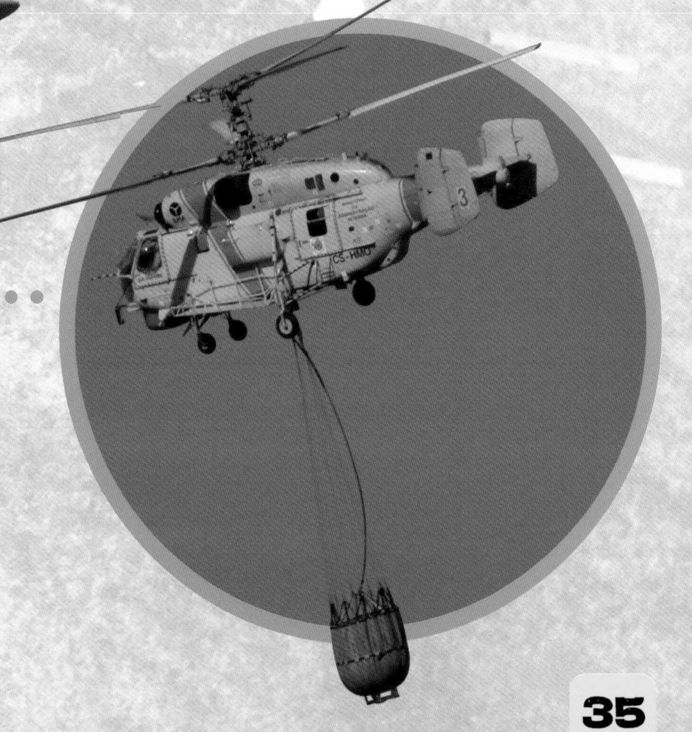

RESCATE EN ALTA MAR

A veces, los barcos y los aviones tienen accidentes en alta mar. Para rescatarlos hacen falta máquinas especiales. Estas máquinas tienen que resistir grandes vendavales y olas inmensas mientras buscan a la tripulación para ponerla a salvo.

¿Cuáles de estas máquinas usarías en un rescate en alta mar?

Motocicleta de policía

Helicóptero guardacostas

Patrullera

Dron

Avión de observación de largo alcance

BUQUE SALVAVIDAS

Para las operaciones de rescate en alta mar hacen falta barcos resistentes. Los buques salvavidas son fuertes y rápidos y resisten los peores temporales. También son capaces de auto-enderezarse si los vuelca una ola.

El radar muestra el lugar donde están las otras embarcaciones. Una antena de radio permite que la tripulación se ponga en contacto con otras embarcaciones y aviones de rescate.

BUQUE SALVAVIDAS EN NÚMEROS:

LONGITUD: 17.3 metros

PESO: 42 toneladas

MOTOR: 2 motores diésel

VELOCIDAD MÁXIMA: 25 nudos

TRIPULACIÓN: 7

Debajo de la timonera estanca hay un espacio para las víctimas provisto de camillas y equipo médico.

La tripulación puede operar el barco desde el puente de mando. Desde ahí pueden ver lo que pasa a su alrededor.
Los buques salvavidas llevan botes inflables más pequeños por si hay que rescatar a alguien cerca de la costa, donde el agua es poco profunda.
La baranda ayuda a que la tripulación no se caiga al agua durante el oleaje.
El barco tiene un casco fuerte y una quilla afilada para cortar las olas con facilidad.

MÁQUINAS DE RESCATE EN ALTA MAR

Todas estas máquinas se usan para rescatar a la gente en alta mar.

1 BOTE SALVAVIDAS

Este bote salvavidas inflable se usa si hay una emergencia cerca de la costa. Tiene un casco sólido por debajo, un tubo inflable alrededor y motores potentes fuera borda.

2 BUQUE SALVAVIDAS

Si una embarcación necesita ayuda en alta mar, el bote inflable no puede llegar. En ese caso, se envía un buque salvavidas rígido. Además de transportar a las víctimas, puede remolcar otras embarcaciones hasta la costa.

3 HELICÓPTERO DE RESCATE

El helicóptero de rescate ayuda a buscar embarcaciones y personas perdidas en el mar. También puede llevar a las víctimas al hospital.

PATRULLERA

La patrullera lleva a cabo misiones de búsqueda y rescate en alta mar. Puede llegar más lejos que los buques salvavidas y los helicópteros.

AVIÓN DE PATRULLA

El avión de patrulla se usa cuando hay que buscar embarcaciones perdidas en áreas extensas del mar. Lleva provisiones a las víctimas e informa a la patrullera de dónde están.

RESCATE EN EL AEROPUERTO

En los aeropuertos siempre hay máquinas preparadas para una posible emergencia durante el despegue o aterrizaje de los aviones. La tripulación está lista para ponerse en acción en caso de aterrizaje forzoso. Estas máquinas están diseñadas para mantener los aeropuertos seguros y apagar incendios en los aviones.

¿Cuáles de estas máquinas usarías en una emergencia en el aeropuerto?

Vehículo de respuesta de aeropuerto

Camión de bomberos con cortador

Moto de nieve

Robot bombero

Camión de rescate

CAMIÓN DE BOMBEROS DE AEROPUERTO

Un aterrizaje forzoso siempre supone un riesgo de incendio. El camión de bomberos del aeropuerto está listo para apagar las llamas y poner a salvo a los pasajeros y a la tripulación. Para apagar el combustible en llamas, rocía una espuma especial.

El camión tiene un tanque grande de agua. El agua se mezcla con unos químicos para formar una espuma que apaga las llamas.

Este vehículo puede ir por terrenos lodosos e irregulares. Tiene ocho ruedas con neumáticos gruesos.

El equipo se almacena en estos compartimentos.

CAMIÓN DE BOMBEROS DE AEROPUERTO EN NÚMEROS:

LONGITUD: 12 metros

VELOCIDAD MÁXIMA: 135 km por hora

CAPACIDAD DEL TANQUE DE AGUA:

12,500 litros

PESO MÁXIMO: 52 toneladas

MÁQUINAS DE RESCATE EN EL AEROPUERTO

Todas estas máquinas ayudan a rescatar personas en caso de emergencia en un aeropuerto.

1 CAMIÓN ESPANTAPÁJAROS

A veces los pájaros se chocan con los aviones que están despegando y provocan accidentes. En muchos aeropuertos hay camiones que emiten sonidos agudos para espantar a los pájaros.

2 VEHÍCULO DE RESPUESTA

El camión de respuesta rápida acude inmediatamente al lugar del accidente. Si es necesario, la tripulación pide ayuda a otros vehículos de emergencia, como los camiones de bomberos.

3 CAMIÓN DE BOMBEROS

El camión de bomberos entra en acción si hay riesgo de incendio en un avión. Lanza espuma encima del avión para apagar las llamas.

4 CORTADOR

Este camión de bomberos tiene una herramienta especial en el extremo del brazo llamada cortador. El cortador atraviesa el metal del fuselaje del avión y lo llena de agua o espuma.

5 ROBOT BOMBERO

Este tipo de robot se está probando en algunos aeropuertos. El robot se mueve sobre unas orugas y puede acercarse al fuego, lo que sería muy peligroso para una persona.

RESPUESTAS

Incendios en edificios (página 7)

Plataforma hidráulica

Camión cisterna

Dron

Rescate en el agua (página 13)

Bote inflable

Vehículo anfibio con orugas

Barco de bomberos

Accidentes de tráfico (página 19)

Motocicleta de policía

Ambulancia

Ambulancia aérea

Rescate en las montañas (página 25)

Camión 4x4

Helicóptero de rescate

Moto de nieve

Incendios forestales (página 31)

Avión cisterna

Camión de bomberos todo terreno

Excavadora

Rescate en alta mar (página 37)

Helicóptero guardacostas

Patrullera

Avión de observación de largo alcance

Rescate en el aeropuerto (página 43)

Vehículo de respuesta de aeropuerto

Camión de bomberos con cortador

Robot bombero